D0786057

Mes parents ne pensent qu'à eux !

Véronique Corgibet

Mes parents ne pensent qu'à eux !

Illustrations d'Éric Héliot

À Emma et Louis,
si précieux
V. C.

CHAPITRE 1

Ce soir, on est en vacances

« Ce sera une bonne surprise ! »

Assise à ma table, les yeux serrés comme des poings qui boxent, je récite dans ma tête : « Ce sera une bonne surprise… »

Je me suis juré que, si je répète deux cents fois « Ce sera une bonne surprise », la nouvelle que Maman m'annoncera ce soir sera merveilleuse. Je l'ai déjà murmuré cinquante-trois fois.

« Ce sera une bonne… »

– Allez, on commence.

La voix de la maîtresse me coupe la cinquante-quatrième.

Bien forcée d'ouvrir les yeux.

Les boucles rousses de la maîtresse sautillent de droite à gauche. De vrais ressorts ! Quand elles gigotent dans tous les sens, c'est signe de bonne humeur. Bon ! La journée commence bien.

Je reprends : « Ce sera une bonne surprise. » Cinquante-cinq.

Dans la famille, Mamie aussi a une manie pour se porter chance. Quand elle regarde les résultats du loto à la télévision, elle tourne ses pouces lentement l'un contre l'autre. Je ne crois pas que son truc marche très bien car elle perd chaque semaine. Mais Mamie croit à ses doigts frottés-tournés. Alors, la semaine suivante, elle recommence. Moi, je ne croise jamais les doigts, je préfère répéter. Par exemple, si je veux réussir mon contrôle de maths, je dis : « Je voudrais une bonne note », au moins deux cents fois. Pour une très bonne note, trois cents fois. C'est long, mais ça marche. Enfin, surtout quand j'ai révisé mes tables de multiplication et que je m'applique pendant les problèmes.

La voix de la maîtresse me fait sursauter.

– Ce matin, on range l'école ! Lou, Noémie, Maxime, vous vous occuperez de la bibliothèque.

Quelques minutes plus tard, le travail est distribué : de la salle informatique à l'atelier de peinture, toute l'école va y passer ! Les rangements, je n'aime pas trop. Mais avec Maxime, ça devient presque un plaisir.

Maxime, c'est mon amoureux depuis le CP. Personne ne sait que je l'aime, lui non plus. Je suis arrivée à garder mon secret pour moi toute seule. Ç'a été très, très difficile surtout à cause de Noémie qui passe ses journées à chercher des fiancés à tout le monde. Et pour Maxime, elle en a trouvé beaucoup : Lucie, Paola, Vanessa, mais jamais elle n'a pensé à moi. Tant mieux, parce que je ne

supporterais pas que Maxime sache qu'il est mon préféré. Mais ce soir commencent les vacances de Noël, et deux semaines sans le voir, ce sera long ! Surtout si la surprise que Maman m'a promise pour ce soir n'est pas bonne.

Pour l'instant, Noémie sautille à mes côtés d'une jambe sur l'autre, son dictionnaire d'anglais sous le bras, en arpentant les couloirs de l'école, direction la bibliothèque. Depuis un mois, elle ne le quitte plus ce dictionnaire ! Si ça lui permettait d'améliorer son anglais, passe encore. Mais non ! en cours, elle est incapable de sortir deux mots de suite sans erreur.

En arrivant dans la bibliothèque, elle s'affale à une table. Inutile de dire qu'elle ne se prépare pas à ranger. Elle lance à Maxime :

– Tu es au courant ? Demain, je pars en Angleterre chez mes cousins !

Maxime la regarde avec un petit sourire en coin :

– Encore ! À chaque fois qu'on est en vacances, tu vas en Angleterre. T'en as pas assez ?

Bien envoyé, Maxime ! Je jubile en silence.

Mais Noémie ne s'avoue pas vaincue. Sans lui répondre, elle pivote vers moi :

– Ils sont géniaux, tu comprends, Lou…

Lou, c'est moi. À mon tour de soupirer. Quand Noémie commence à parler de ses cousins, elle en a pour des heures. Bla-bla-bla, mes cousins ceci… bla-bla-bla, mes cousins cela… !

Ses cousins, la barbe !

Tout à coup, clac ! elle pose son dictionnaire sur la table et me lance d'un air sec :

– Et toi, qu'est-ce que tu fais pendant les vacances ?

Mince ! Pour une fois que Noémie ne s'intéresse pas à elle, elle me coince ! Noémie est un poison mais elle n'est pas bête. Enfin, pas trop ! Elle a dû remarquer mes yeux serrés et ma bouche fermée à double tour.

Impossible de dire la vérité ! Il faut que j'invente quelque chose. Je cherche, mais le mot « séparation » tourne en rond dans ma tête et il prend tant de place qu'il n'en reste plus pour les autres. Je voudrais dire : « ski », « famille », « chalet », « bord de mer », n'importe quoi plutôt que « Papa absent », « garde alternée », « Maman chagrin », les seuls mots qui me viennent à l'esprit. Mon cerveau est en panne. Au secours ! Une seule solution : changer de sujet. Je me secoue un peu et lance avec une voix faussement gaie :

– On bavarde, on bavarde, mais on ne range rien !

À sa place, n'importe qui comprendrait qu'il vaut mieux ne pas insister. Mais Noémie n'est pas comme tout le monde ! Elle continue :

– Et ton père, tu le verras ?

Mon père ? De quoi elle se mêle ? Je pose ma pile de livres

sur la table sous son nez.
Je bredouille en répétant :
– Mon père ?
– Oui, Lou, ton père.
Comme tes parents sont
divorcés, je suppose que tu
passeras les vacances avec
lui !…

Cette fois-ci, elle est allée trop loin ! Je sens une
grosse boule monter dans ma gorge. Je la regarde
droit dans les yeux et je lui lance :
– D'abord, mes parents ne sont pas divorcés.
Ensuite, arrête de supposer. Fiche-moi la paix.
Et je lui tourne le dos. Je me retrouve face à
Maxime. Il est debout, là, devant moi. Visiblement,
il ne comprend rien. Dans ses yeux, je vois des
tonnes de questions. Oh non ! Pas de questions,
s'il te plaît…
J'ai le cœur qui fait des bonds à sauter par-
dessus la tour Eiffel. Mes oreilles bourdonnent
comme un essaim d'abeilles en colère.

Sans prévenir, Maxime me lance un clin d'œil derrière le dos de Noémie. Il pince le coin de la paupière et il cligne deux fois. Il tombe à pic, son petit signe, parce que j'ai beau faire mes grands airs devant Noémie, une stupide envie de pleurer monte et, dans trois secondes, je vais me transformer en fontaine !

Au milieu de ces livres, entre le garçon que j'adore plus que tout et la fille que je déteste plus que tout, je me sens aussi résistante qu'une glace en plein Sahara. Et ce matin, le désert est immense. Je me sens seule, et si lourde avec ce secret au fond de moi qui prend une place énorme. C'est un vrai gros secret celui-là, pas comme celui de mon amour pour Maxime, non ! Un secret que personne ne pourrait m'arracher. Même Maxime ne pourrait me le faire avouer.

Depuis des mois, il grossit, grossit. Il m'envahit. Pas une seconde, il ne me laisse en paix. J'ai beau le repousser au fond de mon ventre, je n'y peux rien, il ressort. Il remonte toujours à la surface et me bloque le gosier. Ma gorge se dessèche comme quand on a la voix enrouée et qu'on ne peut plus parler sans tousser tous les trois mots. Depuis cet été, pour un oui, pour un non, j'ai la voix qui craque. À la maison, à l'école, tout le temps. Maman a beau dire qu'on va s'habituer, comment s'habituer à vivre à trois quand on a toujours vécu à quatre ? C'est mathématique, il manque toujours quelqu'un. Surtout que moi, je n'étais pas d'accord pour que Papa parte. Mais le problème, c'est qu'on ne m'a pas demandé mon avis !

Et tout ça, ça ne regarde pas Noémie! Avec sa langue de pie, elle serait capable de le répéter à tout le monde. Et d'abord, comment a-t-elle su que mes parents s'étaient séparés? Je n'en ai parlé à personne. Je n'ai pas pu. J'avais honte. Comme maintenant, tiens.

Debout, devant Maxime et Noémie, je ne sais plus quoi dire. J'ai honte de moi, de mes parents, de tout ce qui me touche… J'ouvre la porte de la bibliothèque, je sors comme une furie de la pièce, et bing! je me cogne contre la maîtresse.

– Venez vite! La répétition de chorale commence. Mais… Qu'est-ce qui t'arrive, Lou ?

Alors, les larmes que j'ai tant retenues sortent en vagues.

Par la porte, Noémie et Maxime tendent le nez. Je me retourne vers eux et je crie à faire tomber les vitres des fenêtres :

– Noémie, je te déteste !

– Lou, on va d'abord à la répétition et tu m'expliqueras après, d'accord ?

Je marche derrière la maîtresse, les yeux fixés sur ses boucles rousses qui montent et descendent à chacun de ses pas. Je murmure en redressant la tête : « Ce sera une bonne surprise, cinquante-six. Ce sera une bonne surprise, cinquante-sept. Ce sera une bonne surprise, cinquante-huit. »

CHAPITRE 2

Surprise au chocolat

La nuit tombe tout doucement. Le ciel est presque noir : les nuages ont l'air de descendre sur les toits des immeubles.

« Ce sera une bonne surprise. » Deux cents. Ouf! Fini.

Je tourne au coin de la rue, ma main serre fort la menotte de Boubou, mon petit frère. Comme tous les soirs en rentrant de l'école, nous nous arrêtons devant « ma » boutique. Derrière la vitrine, « mes » baskets m'attendent. Les baskets les plus géniales du monde : roses, vernies avec des lacets argentés… Je donnerais n'importe quoi pour les porter une fois seulement…

Toutes les filles de la classe en sont folles. Quelle tête elles feraient si elles me les voyaient aux pieds…

Mais oui, c'est ça ! J'y suis ! La voilà, la surprise de Maman. Elle va m'offrir ces chaussures à Noël. Et on viendra les essayer toutes les deux, en cachette sans Boubou, parce qu'il croit encore à toutes ces histoires de cadeaux qui tombent du ciel.

– On rentre. J'ai faim, Lou.

Boubou me tire par la manche. Boubou, ce n'est pas le vrai nom de mon frère. En fait, il s'appelle Balthazar. Mais Boubou, c'est plus facile à dire.

Je pousse la porte de la maison.

Pas de sac sur la commode, pas de manteau au crochet du mur : Maman n'est pas rentrée.

Dommage ! Dans la pénombre, le répondeur clignote. D'abord, je me précipite sur le bouton

rouge, tant pis, on goûtera plus tard : « Allô !
C'est Papa ! J'ai mille bisous à faire à mes deux
amours ! »

Message terminé. C'est tout ? La voix de Papa
s'arrête. Le répondeur coupe. Bip ! Bip ! Bip !
Boubou se colle contre mon dos. Pourquoi,
quand Papa appelle, des larmes perlent au coin
de mes yeux ? C'est horripilant !

C'est ce moment que Maman choisit pour
pousser la porte, des sacs plein les bras et des
gouttes d'eau brillantes sur les cheveux. Tiens ?
Il pleut !

Elle disparaît dans la cuisine et nous appelle :
– J'ai à vous parler… Vous venez ?

Boubou s'éclipse et moi, je reste debout dans
l'entrée avec mes yeux mouillés, comme une
idiote.

Maman a sorti une tablette de chocolat et des
brioches. Je m'assois à côté d'elle. Boubou grimpe
sur une chaise en face de moi et il ouvre le

papier argenté. Bon, c'est l'heure de la surprise !
Les mots de Maman pénètrent dans mes
oreilles. Mais au lieu de « Ma Lou, j'ai décidé de
t'acheter les baskets rose fluo dont tu rêves »,
j'entends : « Demain, nous partons tous les
trois passer les fêtes de Noël chez Alex. »
L'horreur !

Maman reste muette.
Nous aussi.
La surprise de Maman, c'est une calamité. J'en
mourrais. Mes yeux coulent comme une fontaine et moi, je n'arrive pas à arrêter ces san-
glots qui me coupent la respiration.
Pourtant, depuis quelques mois, les mauvaises
nouvelles n'ont pas cessé, mais je ne m'y habi-
tue pas quand même… Le jour où nos parents
nous ont annoncé qu'ils se séparaient par
exemple. Le premier des mauvais jours pour
Boubou et moi. Je l'ai classé dans la rubrique
« catastrophes naturelles familiales ».

Ce soir-là, Papa nous a dit : « Je vais partir. »
D'abord, je n'ai pas fait attention : Papa est toujours en voyage. Depuis des années, il a traversé tous les pays du monde. Les pays en guerre surtout. Même ceux dont on ne parle pas à la télévision. Son métier à Papa, c'est d'être photographe pour des journaux.

À peine l'avion de Papa a-t-il décollé que Maman s'accroche à la radio ou la télévision. Elle dit : « Au cas où… » Elle veut dire : « Au cas où on annoncerait qu'un photographe, Papa, a disparu ou est blessé. » Ça arrive, bien sûr. Aux autres. Mais ça ne peut pas arriver à Papa. Je le sais, parce que Papa me l'a dit. À chacun de ses départs, il me prend dans ses bras et me regarde, avec ses yeux bien droit dans les miens, et il me dit en détachant chaque mot : « Je te promets que je reviendrai. » Et je le crois : Papa ne peut pas se tromper.

Le problème avec Maman, c'est qu'elle n'a pas confiance. Elle n'y peut rien, elle dit qu'elle est

« morte de peur ». Ce soir-là, le premier jour des catastrophes naturelles familiales, Maman nous a expliqué qu'elle n'en pouvait plus. Qu'elle ne voulait plus sursauter quand le téléphone sonne, elle ne voulait plus attendre que Papa rentre pour vivre tranquille. Elle aurait aimé que Papa change de métier, qu'il photographie les gens d'ici, des gens comme nous, mais Papa a dit qu'il y avait plein de photographes pour ça et que ça ne l'inté-ressait pas. Alors, ils se sont séparés. Et il est parti vivre chez Jules, un copain qui est photographe aussi. C'est complètement idiot. Parce que Papa continue de photographier les guerres. Il risque toujours autant. Alors, à quoi ça a servi ?

Le premier soir où on s'est retrouvés tous les trois à la maison, on était tous perdus. Jusqu'ici, je croyais que ce serait le pire jour de ma vie. Eh bien non ! Le pire, c'est aujourd'hui : ce soir, on inaugure « le deuxième jour des catastrophes naturelles ».

Dans la cuisine, Maman est gênée, elle déchire le papier d'argent de la tablette de chocolat. Les mots qui sortent de ses lèvres me font perdre l'équilibre. Comme si j'étais assise sur un plateau de balance qui penche doucement au fur et à mesure qu'on le remplit, ses mots m'enfoncent du mauvais côté. Maman glisse un carré de chocolat dans sa bouche et répète qu'on va passer les fêtes de Noël dans une grande maison au pied des montagnes, avec son amoureux, Alex, pour faire connaissance.

Je suis abasourdie.

Alex est son amoureux ? Première nouvelle ! Elle doit se tromper, Maman. Alex est juste un ami de son travail. Son amoureux, c'est Papa. Bon, d'accord, pour l'instant ils ne vivent plus ensemble. Mais ils ont beau être séparés, Maman et Papa, ils s'aiment encore. Leur dispute, ce n'est pas très sérieux. D'abord ils ne se sont jamais

disputés. Enfin pas vrai-
ment. Même si Maman
pleurait souvent. Mais
quand Papa était là,
elle était gaie. Papa à
la maison, c'était la fête.
Bien sûr, quelques jours
avant un nouveau départ,
Maman perdait son sourire.
Les traits droits autour de sa
bouche se creusaient, elle ne mettait plus de rose
sur les joues. Mais Papa, il ne faisait pas exprès :
c'est son métier. Bientôt, il reviendra à la maison
et tout recommencera comme avant. Je ne suis
pas seule à le croire : Boubou croit aussi que
Papa et Maman vont revivre ensemble. On en a
parlé l'autre soir, dans notre chambre, après le
dernier baiser de Maman. Alors, cet Alex, qu'est-
ce qu'il vient faire ici ?

Comme dans un brouillard, j'entends Maman
continuer :

– Alex nous invite chez ses parents dans leur vieille maison. C'est une ancienne ferme. Je suis sûre que vous allez bien aimer.

Boubou, lui, ne peut pas répondre. Il a la bouche remplie de chocolat. Collée par cinq ou six carrés engloutis ni vu ni connu ! Hop, hop, hop, dans la bouche ! Mais ce soir, Maman ne se rend compte de rien : elle est toute bizarre, avec un drôle de sourire au coin des lèvres. Elle a l'air plus jeune, mais si fatiguée en même temps…

Mon chagrin, j'ai même l'impression qu'elle s'en fiche un peu.

Elle ajoute en me regardant :

– Alex a une fille, de ton âge : Margot ! Vous serez très vite amies toutes les deux. J'en suis sûre.

C'était bien la peine d'avoir compté jusqu'à deux cents pour entendre une surprise comme ça. Ses derniers mots me font bondir :

— Cette fille, je ne veux pas la voir, et son père non plus !

Ma voix résonne dans la cuisine et Boubou sursaute, bouche bée.

Sans baisser le ton de ma voix, je continue tout haut :

— Tu as organisé nos vacances sans nous en parler. Tu as tout décidé ! Comme quand tu t'es séparée de Papa, hein, tu te souviens ?

Maman prend un air agacé :

— Mais cela n'a rien à voir avec ton père. Allons, Lou, ne complique pas tout !

Quel culot ! C'est elle qui complique tout ! À Noël, d'habitude, on va chez Papy et Mamie, les parents de Papa. Noël sans eux, ça n'est jamais arrivé… Ce serait terrible de ne pas y aller.

Je reprends en criant plus fort, comme cet après-midi avec Noémie.

— Je suis sûre que Papa n'est pas d'accord.

— Ton père est au courant !

Elle ajoute, en regardant sa montre :

– Il est affreusement tard. Lou, tu devrais commencer tes bagages. Moi, je boucle la valise de Boubou et on dîne dans une demi-heure. Ce soir, on se couche tôt. Demain, la route sera longue.

Les yeux de Boubou vont de Maman à moi, comme pour chercher à comprendre ce qui se passe. Un filet de chocolat fondu coule au coin de ses lèvres.

Je me redresse, le doigt dressé vers Maman :
– Eh bien, moi, demain je ne partirai pas avec toi. Je déteste les Noëls sans Papa, sans Papy et sans Mamie. Tu nous proposes de passer les fêtes avec des gens qu'on ne connaît même pas ! Et tu appelles ça une surprise ! Ta surprise, c'est une calamité.

Je n'attends pas que Maman me réponde. La porte de la cuisine claque dans mon dos ! Qu'elle ne compte pas sur moi demain pour l'accompagner chez son Alex.

Noémie, Maman, mais qu'est-ce qu'elles ont toutes à m'empêcher de vivre. Je n'ai rien demandé, moi !

Quelques heures plus tard, dans mon lit, je me tourne sans pouvoir dormir.

Quelle journée épouvantable ! C'est inouï. Pourquoi

on n'a pas le droit de voir Papy et Mamie pour Noël ? Cette année, parce que nos parents se sont disputés, Boubou et moi, on est privés de notre fête. On n'a rien fait de mal et on se retrouve punis. C'est injuste, cette histoire ! Maman ne pense qu'à elle ; rien qu'à elle. Et moi dans tout ça ? Et Papa ? Il sera tout seul ? Juste au moment de m'endormir, je murmure : « Je ne partirai pas demain. »

CHAPITRE 3

« Vous êtes des étrangers »

J'ai capitulé.

Une nuit plus tard, douze bouderies et trente-deux grognements plus loin, Maman a gagné. Je n'ai pas prononcé une parole depuis qu'on a quitté la maison. Une question me brûle les lèvres : comment ai-je pu me coucher avec l'intention de rester à la maison et me retrouver dans cette voiture en route vers ces inconnus ? Mystère ! Si j'avais pu parler à Papa ce matin, je suis sûre que je ne serais pas partie. Mais rien à faire, son téléphone sonnait dans le vide.

Une autre question pointe et, vu l'urgence, elle éclipse la première : qui, de Boubou ou de moi, fera stopper la voiture le premier ? Car, dès la sortie de l'autoroute, nous avons commencé tous les deux un concours de mal au cœur, et les résultats semblent très serrés ! Virages à gauche, tournicotis à droite, elle n'en finit pas, cette route. Pas de lumières, pas de maisons, tout juste une bande de goudron à peine plus large que la voiture. Mais quand va-t-on arriver ?

– Maman, arrête-toi !
Boubou craque le premier ! Maman pile, et il s'éjecte de la voiture. Deux minutes plus tard, je cours le rejoindre sur le bord du chemin. Boubou : 1. Lou : 1. Égalité ! Maman nous tend une bouteille d'eau et des mouchoirs en papier.

– Courage ! Nous sommes presque arrivés.

Je lâche, pas très enthousiaste :

– Tu crois que ça nous rassure…

Le ventre serré, les épaules crispées, en fait, je suis morte de froid. De froid ou de peur ? Mais qu'est-ce qu'on fait ici, en pleine campagne, avec la nuit qui tombe et ce froid qui nous transperce ?

La voiture repart. Boubou se cale contre moi et ferme les paupières. Cet Alex, à quoi ressemble-t-il ? Je suis sûre qu'il ne sait même pas prendre une photo et qu'il n'est jamais monté dans un avion. Comme ça, Maman sera tranquille : pas de risque d'accident avec lui.

Maxime, plus tard, il sera grand reporter pour la télévision. Il l'a raconté dans sa rédaction la semaine dernière : « Quel métier ferez-vous plus tard ? »

Moi, j'ai expliqué que je voulais être actrice. Ce n'est pas vrai mais j'ai menti à cause de la maîtresse. Quand elle rend les devoirs, elle a une habitude épouvantable : elle en lit quelques passages tout haut pour nous servir d'exemples. C'est horriblement gênant !

Comme je ne voulais pas que toute la classe soit au courant, j'ai écrit n'importe quoi. En fait, quand je serai grande, je partirai dans les déserts à l'autre bout du monde. Je filmerai les gens, et tous les riens, ces petits détails que personne ne voit mais que je saurai trouver. La couleur du vent, l'odeur des plantes, le poids des pierres, et toutes sortes de choses que moi, je sens partout. Ce sera génial.

La voiture stoppe. J'ouvre les yeux. On est arrivés.

L'air est glacial. Brr ! Une porte s'ouvre, et la lumière de la maison éclaire des silhouettes. La vieille bâtisse de pierre est imposante. Juste derrière, une masse sombre s'élève : la montagne avec, sur les sommets, de la neige qui éclaire les pointes. Alex se tient sur le seuil de la porte. Il se précipite vers Maman et lui claque deux bises

sur les joues. Je sens bien qu'il aurait préféré la serrer plus fort, mais Maman ne lui en laisse pas le temps. Elle s'écarte vite et se tourne vers moi. Elle est drôlement gênée. Moi aussi. De loin, je bafouille un « b'soir » maladroit. Pour se réchauffer, Alex se secoue comme un manchot sur une banquise :

– On rentre. On a préparé un grand feu dans la cheminée.

Un monsieur un peu vieux nous attend dans l'entrée. Le père d'Alex, sans doute.

– Il va bientôt neiger. Un vrai Noël !

Il m'énerve avec sa voix de monsieur gentil ! Je ne sais pas ce qui me prend. Je crois que j'ai envie d'être désagréable. Je marmonne en bougonnant :

– Pour moi, un vrai Noël, c'est avec ma famille ! Ma famille, ce n'est pas vous. Vous, vous êtes des étrangers !

De plus en plus énervée, je me tourne vers Maman :

– Et Papa ? Avec qui passera-t-il Noël ? Avec Papy et Mamie ?

Les joues de Maman virent au vert puis au rouge. Et les tournants de la route n'ont rien à voir avec sa mine. Elle est encore plus gênée que tout à l'heure. Contrairement à son habitude, Maman ne me répond pas. Habituellement, mes petits éclats ne l'impressionnent pas. Hier soir, par exemple, elle a bien su me tenir tête. Alors pourquoi regarde-t-elle Alex comme ça ? Du fond du couloir de la maison, une fille apparaît. Maman s'approche d'elle et l'embrasse. Elle se tourne vers moi :

– Lou, voici Margot.

Margot s'approche de moi :

– On va dormir dans la même chambre. Je te la montre ?

Ah ! parce que en plus je ne dors pas toute seule ? Quelle barbe ! Je grimpe l'escalier quatre à quatre derrière Margot. En arrivant dans la pièce, je me rends compte qu'elle a déjà installé ses affaires et qu'elle les a déposées sur son lit. Bon, je dois prendre l'autre. Sans un mot, je vide mon sac : pyjama, trousse de toilette, pulls en laine, pantalons en velours noir. Margot me demande, un peu embarrassée :

– Ça ne te gêne pas de dormir du côté de la fenêtre ?

Comme j'ai commencé d'être grognon, je peux bien continuer. Il ne faut pas que cette fille s'imagine qu'on va faire « amie-amie » toutes les deux.

– Je préfère te prévenir. Je n'ai pas choisi de passer mes vacances de Noël avec vous, encore moins de dormir dans la même chambre que toi. Ton père et ma mère se connaissent, et alors ? On ne sera jamais copines. Alors, arrête ton discours et fiche-moi la paix !

Je m'arrête, à bout de souffle. Pendant que je parlais, machinalement, j'ai sorti mon écharpe. La rose. Douce, pâle et pleine de peluches. Celle dont la grosse étiquette blanche crisse sous les doigts. Je l'ai tant tripotée, la tête sur le creux de mon oreiller, qu'elle est devenue pelucheuse. Et puis, du fond du sac j'extirpe mon oreiller, tout froissé. Margot me regarde comme si elle contemplait un extraterrestre. Elle ne prononce pas une parole mais, quand elle voit l'oreiller et l'écharpe, elle se redresse, un sourire aux lèvres :

– Moi non plus, j'en ai rien à faire de toi ! J'ai pas du tout l'intention de te supplier de me parler ni de devenir ma copine. Tu prends des grands airs mais, en fait, tu ne peux même pas te déplacer sans un doudou ! Ah, ah, ah !

Dans un grand éclat de rire, Margot tourne les talons et sort de la chambre.

Ça alors, quel culot ! Cette fille, cette route, cette maison, tout me dégoûte ! Désespérée, je m'assois sur mon lit. En plus, cette Margot se moque de moi ! On croirait Noémie ! C'est un comble !

Des éclats de voix parviennent jusqu'à mes oreilles. C'est Boubou qui s'esclaffe si fort ? Mais qu'est-ce qui peut bien le faire rire comme ça ? Puis j'entends :

– Plus haut, tu y es presque !

C'est Maman qui est si gaie ?

Puis Boubou s'écrie à son tour :

– Je l'ai bien accrochée, hein, l'étoile ?

Boubou, quel lâcheur ! Moi qui comptais sur lui pour me soutenir, c'est raté !

D'autres voix se répondent : Alex, sa mère et Margot viennent de rejoindre les autres. Ils sont tous en bas ? Tous, sauf moi.

Je m'allonge sur mon lit, la tête dans l'oreiller, l'écharpe sur ma joue, je ferme les yeux et je réfléchis… Comment me débarrasser de tous ces gens ?

Quelque temps plus tard, la voix de Maman me secoue :

– Lou, c'est l'heure de dîner.

Dîner ? J'ai trop mal au cœur pour avaler une

seule bouchée de nourriture. Mais, pour faire bonne figure, je vais les rejoindre. En descendant l'escalier, je sais déjà que ma décision est prise : je ne resterai pas une nuit dans cette maison ! Je vais m'enfuir pour rejoindre Papa dès ce soir ! Lui, il me comprendra ! Papa, comme il doit s'ennuyer sans nous !

À l'idée de le retrouver, une joie immense me remplit le cœur. J'ai encore un petit sourire aux lèvres quand j'entre dans le salon. Tout le monde m'attend. Alex est appuyé contre un piano plein de cadres de photos : il regarde Boubou qui éclate de rire sur les genoux du grand-père. Boubou tient une étoile dans les mains. L'étoile du sapin. Mon sourire se fige. Je suis la seule dans cette maison à penser à Papa. La seule. Mais qu'importe, demain, je serai avec lui. Ce n'est plus qu'une question d'heures.

CHAPITRE 4

Escapade dans le noir

Une heure du matin. Le silence s'est enfin installé dans la maison.

Pas trop tôt ! Voilà des heures que j'attends dans mon lit que toute la maisonnée se couche. Quand Margot est enfin montée, j'ai fait semblant de dormir. En silence, je m'habille et je sors dans le couloir : personne.

Deux étages plus bas, au moment d'ouvrir la porte d'entrée, une douleur me crispe le ventre : j'ai faim.

Normal, je n'ai rien avalé depuis notre départ de la maison ce matin ! Demi-tour, direction la cuisine.

Et j'entreprends un grignotage devant le réfrigérateur : quiche froide, œuf dur, fromage. Un clafoutis aux pommes me tend les bras quand j'entends un clac, suivi d'un frottement qui semble s'approcher : quelqu'un est en bas... Flûte ! Si je me fais pincer dans la cuisine en train de manger alors que j'ai prétendu toute la soirée être écœurée, de quoi j'aurai l'air ?

Je referme le réfrigérateur, je me cache derrière la porte de la cuisine et je me retrouve nez à nez avec des torchons humides. Re-flûte ! J'ai oublié d'éteindre la lumière.

Les pas se rapprochent, stoppent juste à côté de moi. Re-re-flûte ! On va me découvrir. Je m'écrase le plus possible contre les torchons et me colle contre le mur. On entre.

Une main passe à hauteur de mes yeux et une voix marmonne :

– Tiens, c'est encore allumé ici !

Le grand-père de Margot. Et clac ! il appuie sur le bouton et referme la porte sans me voir. Ouf ! J'ai eu chaud. Ses pas s'éloignent.

J'attends encore quelques minutes dans le noir. Heureusement que Boubou n'est pas avec moi ! Lui qui ne supporte pas la moindre obscurité, il serait servi !

Mais au fait, Boubou ! Comment ai-je pu l'oublier ? Je ne peux pas le laisser ici. Je dois l'emmener avec moi. Tous les deux, nous rejoindrons Papa et nous passerons Noël ensemble !

Papa ? Mais Papa ne sait pas que j'arrive ! Quelle idiote ! Il faut d'abord le prévenir… Vite, le téléphone.

Je sors de la cuisine. Je traverse le couloir sur la pointe des pieds, direction le salon. Pas question d'allumer cette fois-ci !

Petit à petit, en tâtonnant du bout des doigts, je traverse la pièce. Sous mes mains, je reconnais la grande table, le piano avec les photos posées debout les unes à côté des autres. Le téléphone est devant moi, sur une tablette vers la fenêtre du fond. Encore trois pas, et j'y suis. Sur le piano, j'effleure un cadre, et une idée folle me vient à l'esprit. Une idée qui m'immobilise net. Ça n'est pourtant pas le moment de traîner. Je ferais mieux d'appeler Papa. Mais j'ai beau me raisonner, cette envie ne me quitte pas. Oh ! là, là ! Maman sera furieuse… et alors ? Moi aussi je suis furieuse après elle. Ça ne l'empêche pas de faire ce qu'elle veut ! Alors, pourquoi pas moi ?

Un à un, je frôle les cadres qui trônent sur le piano. Ce sont des photos de la famille d'Alex, avec des enfants et des bébés, des gens d'autrefois et de maintenant, des photos de mariage en noir et blanc, des photos en couleurs sur une plage…

Tout doucement, je glisse mes doigts sur les images d'Alex, Margot, ses grands-parents et puis d'autres personnes que je ne connais même pas. Mon ongle crisse avec un bruit désagréable qui me fait frissonner. Alors, presque au hasard, je pose ma main sur un cadre et je le retourne, j'ouvre les crochets qui bloquent la vitre. Clac ! la photo se détache. Je la serre dans mes doigts. L'image craque. C'est presque dur de l'écraser, alors je la déchire, jusqu'à ce qu'il ne reste que des petits morceaux colorés inoffensifs.

Ça y est. J'ai fini. J'ai du mal à respirer comme après une course et mon cœur résonne comme un tambour dans ma poitrine. Mais ouf ! Je suis presque soulagée !

À cause d'Alex, ma famille est en morceaux. À cause de moi, la famille de Margot est en morceaux.

Chacun son tour…

Qu'est-ce que je vais faire de ces petits bouts déchirés ? Impossible de les laisser ici. Je les glisse dans ma poche de blouson, je m'en débarrasserai dans un fossé en route.

Maintenant, le téléphone. Bip, bip, bip, bip… Je supplie tout bas :

– Décroche ! Dis-moi ton allô que je connais si bien, ton allô que j'aime, avec ta voix du bout du monde, ton allô qu'il me faut !

La tonalité n'en finit pas de résonner dans le vide. Personne. Il n'est pas chez lui. Je raccroche. Je me sens toute bête. Où est-il ? Et puis, une idée me traverse l'esprit. Mais enfin, c'est évident, je sais où il est : chez Papy et Mamie ! Bon, changement de programme, on ira chez eux.

Mais eux, pas question de les appeler au milieu de la nuit ! Je les connais, ils s'affoleraient. Ils essaieraient de me raisonner. Mais moi, je n'ai pas peur. Je saurai les rejoindre. J'ai déjà tout préparé dans ma tête. Ce sera facile. En passant devant la voiture, je prendrai la carte, celle qu'on a utilisée pour venir. Et puis sur la grande route, je trouverai bien une voiture pour faire du stop.

Il n'y a plus un instant à perdre. Je monte réveiller Boubou ! J'entre dans sa chambre, j'allume… et je crois que je vais m'évanouir. En un éclair, mes jambes pèsent des tonnes et me clouent au sol ! Des draps froissés et des couvertures jetées par terre ! Boubou n'est plus dans son lit. La chambre est vide. Je tombe à genoux sur le tapis. Le nez écrasé dans la laine. Boubou a disparu.

À la maison, Boubou et moi, on couche dans la même chambre, son lit est juste sous le mien. Chaque soir, après le bisou de Maman, j'entends une petite voix qui m'appelle : « Lou, Loulou… » De son lit à peine éclairé par la lampe du couloir, sa voix supplie : « Lou, tu viens ? » C'est devenu une habitude entre nous ! Alors, je pose mon livre à l'envers pour garder ma page, et je descends l'échelle. Je m'assieds à côté de lui juste sur son oreiller. Les mêmes phrases tous les soirs, les mêmes mots de Boubou : « Dis, Lou, tu me racontes comment c'était quand j'étais petit ? »

Et voilà, c'est parti pour un nouvel épisode ! J'ai raconté ainsi à Boubou son premier mot, sa première dent, sa première baignade dans la mer, son premier jour d'école… De soir en soir, Boubou a reconstruit son histoire. Du haut de ses quatre ans, il a déjà vécu un vrai roman ! Mais tout à l'heure, il s'est couché tout seul. Sans moi ! J'étais si en colère que je n'ai même pas pensé à lui ! Et maintenant, il a disparu !

Soudain, derrière moi, je perçois une respiration ! Pétrifiée, les yeux fixes, je sens avec horreur une main se poser sur mes lèvres. Pour m'empêcher de respirer ?

Soudain j'entends, dans un souffle chaud :

– Lou ? Tu t'es levée ? Que se passe-t-il ?

Margot ! Ouf ! Pour la première fois, je suis contente qu'elle soit là, près de moi.

Alors je m'assois par terre. Dans un souffle, je lui raconte tout en vrac : mon projet de partir, la disparition de Boubou… et quand j'ai fini, je n'ai plus de forces. J'ai eu trop peur.

Je lève les yeux, Margot essaie de sourire, mais je sens bien qu'elle n'est pas trop rassurée non plus.

– Lou, calme-toi. Boubou n'est pas perdu. Il est forcément dans la maison. Retourne te coucher, je m'en occupe, je vais le trouver.

– Me coucher, t'en as de bonnes ! Pas question de dormir sans savoir ce qu'il est devenu. Tu crois qu'il est parti ?

– Mais non, si tu y tiens, viens avec moi.

Margot me prend la main, et me la serre.

Je me sens plus calme. Son regard, la chaleur de sa main, sa voix douce et ferme, ça a suffi pour me ragaillardir un peu. Courage, Lou ! Je me glisse contre elle et, accrochées l'une à l'autre, nous partons sur les traces de Boubou.

CHAPITRE 5

Nuit blanche

C'est fou comme cette maison regorge de cachettes : des cagibis, des chambres, des couloirs. Impossible de mettre la main sur ce fugueur. Une demi-heure plus tard, toujours rien. Sans réfléchir, presque comme un automate, je commence à répéter : « On va le retrouver. On va le retrouver. » La phrase me bourdonne dans les oreilles, comme une chanson qui tourne dans la tête et qu'on n'arrive pas à faire sortir. Margot m'entend. Mais elle ne dit rien. Elle fait comme si elle n'avait rien remarqué. Ça tombe bien. Je n'ai pas envie de lui expliquer.

– Ça va ? me demande-t-elle.

J'interromps mes murmures.

– Je … je crois qu'on va le retrouver, n'est-ce pas ?

– Mais bien sûr. Ne t'inquiète pas. Continuons à chercher, répond Margot en descendant l'escalier.

On finit par le découvrir. Couché au pied du sapin de Noël derrière un canapé du salon, bien calé dans les coussins étalés par terre, il dort comme un ange. Avec dans la main, une des friandises du sapin à moitié suçotée. Quoi ? Ce gourmand s'est levé pour grignoter des bonbons ! J'ai une féroce envie de le secouer !

Mais Boubou, quand on le réveille, c'est pire qu'un orage. Il est capable de crier si fort qu'il dissuade tout le monde de recommencer une nouvelle fois. De quoi on aura l'air s'il alerte toute la maisonnée. Alors tant pis pour moi : je garde ma vengeance pour demain ! Il ne perd rien pour attendre, ce Boubou de malheur !

Margot à gauche et moi à droite, nous portons Boubou dans son lit. Il pèse des tonnes. Recouché, bordé jusqu'au cou. Un dernier bisou.
Dans le couloir, Margot chuchote :
– À notre tour de nous coucher. Viens, Lou.
– Me coucher ? Sûrement pas. Je vais retrouver Papa.
– Mais enfin, Lou, c'est impossible que tu partes : on est loin de tout ici. Et en plus, la neige tombe depuis des heures maintenant. Tu ne pourras pas faire dix pas dehors.
Margot plisse le front, comme ma copine Clara quand elle me demande de lui prêter l'eau de

toilette que j'ai eue pour mon anniversaire. Mon eau de pamplemousse. Quand elle vient chez moi, Clara commence par promener le flacon devant ses narines et elle me fixe avec l'air de dire : « Tu veux bien, hein ? » Je ne peux pas lui dire non. Eh bien, Margot, en ce moment, elle lui ressemble. Les mêmes yeux qui demandent sans parler.

Je sens que je vais me laisser convaincre. Je ne vais pas pouvoir lui dire non.

Après toutes ces histoires, toutes ces disputes depuis deux jours, toutes ces émotions, avec la voix de Margot qui insiste… Je me sens si fatiguée d'un seul coup !

C'est vrai qu'il fait très froid dehors. Qu'est-ce que je ferai toute seule au milieu de la nuit ? Mon courage est en train de fondre.

– Il est trop tard, tu ne crois pas…

Qui a parlé ? Elle ou moi ? Je ne sais plus. Mais en tout cas, c'est sacrément vrai. Il est tard. Et je suis épuisée…

Sans d'autres mots, on rentre dans notre chambre, on se couche et on éteint. Dans le noir, j'entends :

– Je suis contente que tu restes avec nous.

C'est Margot qui parle ? Incroyable. Moi aussi, finalement, je suis contente qu'elle soit avec moi. Derrière mon dos, je l'entends qui murmure en riant :

– De toute façon, tu ne serais pas allée bien loin, au milieu de la nuit avec Boubou. On vous aurait retrouvés tous les deux congelés, demain matin.

Elle a raison Margot. Pour la première fois, elle et moi, on est du même avis. Sauf que l'idée d'être congelée ne me fait pas rire du tout.

Je me redresse dans le lit :

– Margot, j'ai essayé d'appeler Papa tout à l'heure. Il n'a pas répondu. Quand j'ai besoin de lui parler, il n'est jamais là ! C'est insupportable. Avant, quand mes parents vivaient ensemble et que j'avais quelque chose à dire à mon père, je devais attendre son retour de voyage. Alors, je prenais mon mal en patience. Mais depuis qu'ils sont séparés, c'est encore pire : je ne peux plus lui parler… Ce n'est jamais le bon jour, le jour où on doit se voir…

 Margot allume sa lampe sur la petite table entre nos deux lits et se tourne vers moi :
– J'ai le même problème avec Maman. Je la vois seulement un week-end sur deux, chez son copain avec sa fille. Elle a cinq ans de plus que moi ! Deux semaines sans Maman, c'est long !

– Margot, tu crois que ton père et ma mère vont vivre ensemble ?

Elle fronce les sourcils :

– Peut-être. Et alors, toi et moi aussi, nous vivrons ensemble. Et le week-end nous irons chacune dans notre deuxième maison, toi chez ton père et moi chez ma mère. Un jour, ton père aimera une nouvelle femme, il vivra avec elle et tu la rencontreras chez lui.

– Qu'est-ce que tu dis ? Jamais Papa ne vivra avec quelqu'un d'autre que Maman ! Papa est amoureux de Maman. Jamais il ne rencontrera une autre femme, j'en suis sûre.

Margot ne répond pas tout de suite. Puis elle reprend tout doucement :

– Lou, on dort ? On verra demain…

Mes yeux se ferment… Margot éteint la lumière. Je me retourne vers le mur. Je recale mon oreiller. Mon blouson, posé au bout de mon lit, glisse et tombe sur le tapis. Mon blouson ! Soudain je pense à la photo. Celle que j'ai émiettée dans le salon. Mince ! Les morceaux sont toujours dans la poche. Pas le courage de me relever. Dès demain, c'est promis, je m'occuperai de faire disparaître ces petites déchirures. Je trouverai bien un moyen…

CHAPITRE 6

Le troisième jour des catastrophes naturelles

– Lou, téléphone pour toi ! C'est ton père. Du fond de mon sommeil, j'entends une voix : Alex. J'ouvre un œil. Le jour est levé mais Margot dort encore. Je suis aussi fatiguée que si j'avais fait trois fois le tour de la Terre cette nuit. Mais pour Papa, je pourrais traverser encore un ou deux déserts…

En attendant, je descends jusqu'au téléphone du salon. Tiens, Alex a l'air gêné ! Je pense très fort dans ma tête : « Eh oui, j'ai un père ! Il faudra t'y faire ! » J'ai dû penser tout haut, car il tourne les talons et sort de la pièce.

Enfin seule !

– Mon Papa, où es-tu ?

Il bredouille et finit par me demander :

– Tout va bien ? Mais d'abord, joyeux Noël !

– Joyeux Noël, Papa ! Tu es chez Papy et Mamie ?
Tu me les passes, je voudrais leur parler.

– Ben voilà, mon trésor, justement je voulais
t'appeler pour ça ! Je ne suis pas chez eux.

De sa voix lointaine, il continue :

– J'ai quelque chose à t'annoncer.

Oh non ! Pas encore une surprise idiote du
genre « catastrophe naturelle familiale… »

À cet instant, la phrase de Margot me revient à
l'oreille : « Ton père aussi, tu verras, il ne va pas
rester tout seul longtemps ! »

Je respire une grosse goulée d'air et je me lance :

– Papa, tu n'aurais pas une amoureuse ?

– Lou, tu es au courant ?

– J'ai deviné…

– Mon amoureuse, comme tu dis, c'est quelqu'un de très important pour moi. Je l'aime
beaucoup. Mais surtout écoute bien…

Oh non !

Et il parle, parle si vite qu'il  ne me laisse même pas de place entre ses mots pour m'y glisser. Mais quand va-t-il se taire ? Au bout du compte, j'apprends plein de choses sur son amoureuse. Elle s'appelle Julie, elle a l'âge de Papa et elle a un fils, Antoine, un garçon de cinq ans, presque le même âge que Boubou.

Enfin il se tait. Puis tout doucement, sa voix reprend.

– Dis-moi ce que tu en penses…

Ce que j'en pense ?…

– Vos histoires c'est drôlement compliqué ! Vous les grands, vous mélangez tout ! Vous prenez des parents et des enfants, et vous embrouillez toutes les familles, les pères des uns avec les mères des autres, les frères des uns avec les sœurs des autres. Comment voulez-vous qu'on vous suive, nous, dans ce méli-mélo ?

Je raccroche en colère. Je suis désespérée. Moi qui croyais que Papa s'ennuyait sans nous ! Quelle imbécile je fais ! Papa, mon Papa, toi aussi, tu me laisses tomber ?

Je m'assois par terre au pied du téléphone. Et toute seule, bien cachée derrière la table, je pleure, de colère et de tristesse. D'abord Maman avec Alex. Puis Papa et cette Julie ! Qu'est-ce qu'il leur prend à tous ? J'ai une nouvelle « presque » sœur, Margot, un nouveau « presque » père, Alex, des

« presque » grands-parents. Et maintenant, une nouvelle « presque » maman, Julie, et un nouveau « presque » petit frère, Antoine. Quelle pagaille ! On était pourtant bien tous les quatre.

Avant.

La porte du salon s'ouvre : Maman.

– Ma toute belle, c'était ton père ?

Je me lève et je hurle en la regardant droit dans les yeux :

– Julie, ça te dit quelque chose ?

Maman, en face de moi, devient toute blanche… J'ai envie de pleurer. Depuis cet été, j'ai tout perdu. Mon papa et ma maman d'avant, mon Noël. Tous ces nouveaux, moi, je n'en ai pas besoin…

– Maman, je ne m'y retrouve plus dans vos histoires. Vous cassez tout, vous mélangez tout et vous nous demandez de comprendre, d'être patients, de bien vouloir. Mais nous, qui nous écoute ? Qui nous explique ? Personne ! Toi, tu ne t'occupes plus de nous. Papa n'est jamais là quand on en a besoin ! J'en ai assez de vos histoires ! On était heureux avant…

– Ma Lou d'amour…

Quand Maman commence par « Ma Lou d'amour », c'est que ça ne va pas fort !

– Voilà ce que je te propose : on prend notre petit déjeuner toutes les deux. On parlera mieux en mangeant.

Dans la cuisine, face à face, on grignote des brioches devant des grands bols ronds. Le mien est un peu ébréché. Où est Alex ? Maman a dû lui demander de disparaître. Tant mieux. Ça ne le regarde pas nos histoires de famille. Maman commence à parler tout doucement en me frottant le dos de la main avec son index.
– Tu as raison, Lou, nous les adultes, on est parfois drôlement égoïstes. On a besoin de tout pour être bien. On veut des enfants, du travail, des amours qui marchent. S'il manque une seule chose, on n'est pas bien. On va chercher à côté ce qui nous manque. On change de métier, on change de maison, on change d'amoureux. Même si c'est difficile pour tout le monde. Alors maintenant, Margot va rentrer dans ta vie et tu connaîtras aussi le fils de Julie. Il s'appelle Antoine, hein ?

Maman lève les yeux vers moi en tripotant une boule de pain entre ses doigts.

– Boubou et moi, on ne vous a pas aimés assez ?

Cette fois-ci, elle n'a pas hésité :

– Oh non, ça n'a rien à voir ! Vous nous aimez et on vous aime. C'est pour la vie. Mais les amours des grands, c'est plus difficile à garder. Une chance, on a tous assez de place dans nos cœurs pour un amoureux et des enfants en même temps.

– Et Papa, tu l'aimes encore ?

– Plus assez.

J'insiste, pour être sûre, mais je crois que je connais déjà la réponse :

– Ça veut dire que jamais vous ne recommencerez tous les deux ?

Maman me prend les mains. Elle frotte doucement ses doigts sur mes poignets. C'est léger et chaud à la fois. Mais ce qu'elle me dit est plus dur que de la pierre :

– Ton papa et moi, nous ne revivrons plus jamais ensemble. C'est fini !

À ce moment, la porte s'ouvre sur la grand-mère de Margot. Elle s'approche de moi et ses baisers claquent sur mes joues.

– Bonjour, ma cocotte, il fait frisquet ce matin. On va allumer un feu dans la cheminée du salon. Veux-tu aller chercher des bûches dans la grange ? En attendant que Margot et Boubou se réveillent, commençons donc à préparer la maison pour le repas de Noël.

Et elle me pose dans les bras un immense panier d'osier, presque aussi grand que moi !

Après tout, puisque je suis ici, autant me rendre utile. Je monte chercher mon blouson. À la porte d'entrée, Alex m'arrête :

– Tiens, tu t'es fait embaucher... Attends-moi, je t'accompagne... À deux, ce sera moins lourd !

C'est dans la grange que tout arrive. Je me penche pour ramasser des bûches. J'accroche mon blouson dans une branche qui dépasse du tas de rondins, et crac !... ma poche s'ouvre. Un à un, les morceaux de la photo tombent par terre à mes pieds. Je reste

pétrifiée. Les papiers colorés ressortent sur le sol en terre battue de la grange. Des taches rouges, jaunes, bleues sur le marron foncé, ça fait comme des papillons qui se posent sans bruit sur des cailloux. Des taches de vie sur le sol froid. Des taches de vie, d'amour, de tendresse. Des taches déchirées, froissées par moi, dans ma colère d'hier. Les catastrophes naturelles continuent : on inaugure la quatrième.

CHAPITRE 7

Balade dans la neige

Dans un grand bruit, la porte de la grange s'ouvre : c'est Boubou !

– Vous venez ? On part faire une balade dans la neige.

Je sursaute, et patatras ! les bûches m'échappent des mains et dégringolent par terre à mes pieds. Je ferme les yeux sous la tourmente qui s'abat dans ma tête. Quand le fracas cesse, avant qu'Alex et Boubou ne se rendent compte de quelque chose, je m'accroupis et, à grands gestes, je pousse les rondins de bois en tas sur mes déchirures de photo. Je bredouille :

– Allez devant tous les deux, je ramasse tout ça et je vous rejoins.

Mais ni Boubou ni Alex ne semblent m'avoir entendue. Ils ont les yeux fixés sur le sol. Comme eux, je descends mon regard par terre, et ce que je vois me glace. Je n'ai pas réussi à cacher les petites déchirures de photo.

Dans ma tête je tente de me persuader : « Ce n'est pas grave. Répète deux mille fois "ce n'est pas grave", et tout ira bien. »

Mais à cet instant, je ne crois pas une seconde que ça marchera. Mes bla-bla ne changeront rien : C'EST grave.

Boubou se penche, sans comprendre :

– Oh ! Qu'est-ce que c'est ?

Je ne peux pas répondre. Mais Alex, si !

– On dirait une photo déchirée. Peut-être celle du salon. Il en manque une dans un cadre sur le piano…

Je suis atrocement gênée.

Je serre mes mains l'une contre l'autre à me faire craquer les phalanges. Quand je lève les yeux vers Alex, son regard me transperce comme une flèche !

Mais maintenant, comment m'en sortir ? Si j'étais partie cette nuit, rien de tout cela ne serait arrivé.

Bien sûr, je pourrais m'enfuir, prendre les jambes à mon cou, traverser la cour et remonter le chemin vers la grande route et disparaître. Mais je n'ai plus le courage. Et puis ça ne changerait rien. Il faut toujours finir par revenir. Je sens les larmes qui montent. Des larmes qui veulent dire tout ce que mes lèvres ne disent pas.

Des larmes pour « Je ne sais plus quoi faire ».
Des larmes pour « Aidez-moi ». Des larmes
pour « Comment on va vivre ensemble ? » Des
larmes pour « Je n'y comprends plus rien ».

Alex pose sa main sur mon épaule.

– Lou, je pense avoir deviné ce qui s'est passé.
Cette nuit, tu t'es levée, tu es allée dans le salon.
Quand tu as vu les photos, tu les as détestées
tout de suite et tu en as déchiré une. C'est ça ?

J'ai secoué la tête pour dire oui. Deux larmes
ont frappé mes bottes en faisant poc ! poc !

Il continue un peu plus bas :

– Ensuite, tu as enfoui les petits morceaux de
photo dans ta poche mais ils viennent de res-
sortir juste quand il ne fallait pas. C'est tout.

J'ai toujours les yeux baissés sur le sol. Je fixe
sans ciller les deux ronds brillants sur la pointe
de mes bottes.

Alors, il reprend tout doucement :

– J'ai trouvé le cadre vide ce matin. Savais-tu
que c'est ma mère qui prend toutes ces photos

de la famille? Quant à toi en ce moment, tu penses : « C'est grave. » Mais non, ce n'est pas si grave. Personne ne t'en voudra pour ça. Et puis aujourd'hui, c'est un jour de fête, et on ne va pas le gâcher. On en reparlera plus tard, dans quelque temps. Tu es d'accord?

Alex a entendu les mots des larmes. Sa main qui serre mon épaule me dit qu'il a tout compris. Ouf ! Il me sauve la mise…

Ma gorge est toute serrée… Sans parler, je hoche la tête pour lui répondre : « On est d'accord tous les deux. »

Alex se tourne vers Boubou qui n'a pas bougé un cil pendant toute cette conversation :

– Viens, bonhomme. Lou termine de ranger tout ça, elle remplit le panier et elle nous rejoint…

Boubou, toujours silencieux, emboîte le pas d'Alex et le suit comme son ombre. La porte de la grange se referme derrière eux, et moi je pousse un énorme soupir.

Je récupère mes petits bouts de photo et je les fourre dans une autre poche. Dans le fond, je sens une feuille, toute pliée. Je la sors. C'est une

page arrachée d'un cahier. Sur le dessus, je lis « Pour LOU ». L'écriture, je la reconnais, c'est celle de Noémie. Noémie m'a écrit !

Allez ! je remets la feuille dans ma poche. Je la lirai plus tard…

Alors, je respire un grand coup et je pousse la porte de la grange pour rejoindre les autres. Le soleil inonde la cour. La neige brille comme le miroir d'un étang le soir au couchant.

Je dépose mon panier de bûches à la porte de la maison. Des traces de pas fraîches partent de la cour et montent derrière, vers la montagne. J'entends au loin des bruits assourdis de conversations.

Pour la première fois depuis deux jours, je remplis mes poumons à fond. Cette promenade, c'est une super-idée…

CHAPITRE 8

Frères et sœurs pour la vie

Quelques heures plus tard, après la sortie dans la neige, on se retrouve tous devant la cheminée, je sens un tissu qui frotte ma joue : Margot vient s'asseoir sur le canapé, tout près de moi, et Boubou aussi.

Les grands, derrière nous, un verre à la main, discutent tranquillement, presque tout bas. Tout à coup, je me souviens du petit mot au fond de ma poche : la lettre de Noémie.

Son écriture est toute ronde.

Lou,

Je suis amoureuse de Maxime. Mais lui, il ne m'aime pas. C'est toi qu'il aime. Alors, pour me venger, j'ai fait exprès de raconter devant lui que tes parents se séparaient. Je le savais parce que ta mère en avait parlé à ma mère… Hier après-midi, il t'a regardée avec des yeux qui m'auraient fait sauter le cœur si j'avais été à ta place. Si tu savais ce que je t'ai enviée… C'était bête de te faire du mal avec ça. Je regrette.
Noémie.

Noémie qui m'écrit une lettre d'excuses, je n'en reviens pas. Et Maxime, amoureux de moi… Une grosse goulée d'air me gonfle la poitrine. J'ai l'impression que c'est plus facile tout à coup. Je referme ma lettre et me lève pour la jeter dans le feu de la cheminée. Pas question que quelqu'un la trouve, celle-là ! Pendant qu'elle se consume entre deux bûches rouges, mon regard croise celui d'Alex. Il me lance un sourire. Je suis si soulagée que, sans réfléchir, je lui souris aussi en réponse.

Je me sens fatiguée. Mes yeux se ferment un peu. Le bruit du feu dans la cheminée, la chaleur, le ronron des conversations des grands, je me sens presque bien pour la première fois depuis longtemps. Boubou gesticule à côté de moi, il me grimpe sur les genoux et prend son pouce.

Une idée me traverse la tête. Mais il ne faut pas que les grands nous entendent. Allez, je me jette à l'eau, je lui chuchote à l'oreille :

– Boubou, j'ai une nouvelle à t'annoncer…

Boubou ne bouge pas. J'insiste :

– Boubou, écoute : Papa a une amoureuse. Elle s'appelle Julie et elle a un garçon de cinq ans, Antoine. Ce sera notre nouveau frère.

Boubou me regarde bizarrement, les yeux tout tristes d'un seul coup. Il niche sa tête dans mon cou et me souffle à l'oreille :

– T'en as envie, toi, d'un petit frère ? On est bien nous deux, on n'a besoin de personne d'autre. Moi, c'est toi que je veux. C'est tout.

– Mais il pourrait devenir ton copain…

– Des copains, j'en ai déjà plein. Un frère, j'en ai pas envie ! J'ai une sœur, et je n'en aurai jamais qu'une. Dis, tu me quitteras aussi quand tu auras un amoureux ?

– Jamais, tu m'entends, Boubou. Je ne te quitterai jamais.

Et je sens des petites gouttes mouillées qui coulent dans mon cou.

Boubou pleure, comme moi, cette nuit. Alors, je le serre très fort dans mes bras. Une petite caresse m'effleure les cheveux. C'est Maman qui s'assoit tout contre moi et me chuchote, un peu inquiète :

– Tout va bien ?

Je hoche la tête et Maman reste contre nous, sans rien dire. Peu à peu Boubou se détend, desserre ses petits bras. Il se redresse et voit Maman et lui claque un gros bisou sur la joue.

Quand on ouvre les cadeaux, j'en repère un tout de suite. Celui qui porte une étiquette « Pour ma Lou ». Je sais déjà ce qu'il contient… Je me précipite sur Maman assise à côté du sapin. Je lui saute dans les bras ! Au fait, je ne m'étais pas  trompée, j'avais bien deviné la surprise de Maman : mes baskets roses, vernies avec des lacets argentés. Génial ! La mère d'Alex nous appelle :

– Venez tous. En place pour la photo. C'est pour ajouter à la collection.

On s'aligne devant la table du salon.

En face de nous, sur le piano, les cadres trônent toujours. Je ne voudrais pas regarder mais c'est plus fort que moi, mes yeux sont attirés. Eh oui, le cadre est là mais, oh ! stupeur, la photo que j'ai déchirée est revenue. Que s'est-il passé ? Je n'ai pas rêvé, je l'ai bel et bien déchirée, cette nuit. La preuve, les petits bouts éparpillés qui m'attendent dans la poche de mon blouson. Instinctivement, je cherche une explication et mon regard croise celui de la grand-mère de Margot. Elle me fixe. Elle a vu mes yeux qui ont cherché le cadre sur le piano, elle se doute que la photo disparue, c'est moi.

Elle reprend :

– Tout le monde est en place ?

Puis elle se tourne vers Maman :

– Si vous voulez, je vous en donnerai une quand la pellicule sera développée. J'en fais toujours tirer deux exemplaires. Ça me permet d'en offrir ou, ajoute-t-elle en se tournant vers moi, d'en garder une copie. En cas de perte, ou

d'accident, je peux la remplacer immédiate-
ment.

Puis elle me fait un petit clin d'œil avant de se
cacher derrière son appareil :

– Allons, plus personne ne bouge.

Clic !

– À table ! s'écrie le grand-père en me prenant
le bras. Viens t'asseoir à côté de moi, Lou,
et raconte-moi un peu comment tu travailles
à l'école… Sais-tu que j'étais maître d'école
avant ma retraite ? Ici, dans le village…

Je suis soulagée, comme si on venait de me délester d'un sac à dos plein de pierres. Je soupire un grand coup et tranquillement je m'installe entre ce vieux monsieur et cette vieille dame qui m'accueillent.

Je regarde la table, les gens assis autour. Je les connais tous et pourtant, hier, certains m'étaient étrangers. Aujourd'hui, il me semble que ce n'est déjà plus tout à fait vrai…

© 2003 Éditions Milan
300, rue Léon-Joulin,
31101 Toulouse Cedex 9, France.
Droits de traduction et de reproduction réservés pour tous les pays.
Toute reproduction, même partielle, de cet ouvrage est interdite.
Une copie ou reproduction par quelque procédé que ce soit,
photographie, microfilm, bande magnétique, disque ou autre,
constitue une contrefaçon passible des peines prévues
par la loi du 11 mars 1957 sur la protection des droits d'auteur.
Loi 49-956 du 16 juillet 1949.
Dépôt légal n°3169 : 1er trimestre 2003
ISBN : 2-7459-0908-8
Imprimé en France
par Fournié